Preschool FrenchSmart Story Activities

Cover photo credit: www.123rf.com (3357646)

ISBN: 978-1-77149-090-0

Printed in China

Listen to the Stories Online:

Each of the Preschool Smart Story Activities titles comes with audio clips for your child to listen to while reading the stories. The clips are available for download at www.popularbook.ca/multimediaclips.

Contents

Je peux
compter

1

Petit chiot, je peux compter.

2 3

1
un arbre

1 un

2 deux

2
deux oiseaux

3 trois

trois papillons

3

4 quatre

5 cinq

5
cinq fleurs

six nuages

6

6 six

7 sept

7
sept poissons

8
huit abeilles

8 huit

9 neuf

9
neuf biscuits

10 dix

Pouvez-vous compter, petit chiot ?
1
2
3
4
5

6 7 8 9 10

Activities

Colour.

1

Trace the paths.

deux
trois

Paste the stickers and colour.

4
quatre

5 cinq

Colour.

6
six

Paste the stickers.

7 sept

Circle the shoes.

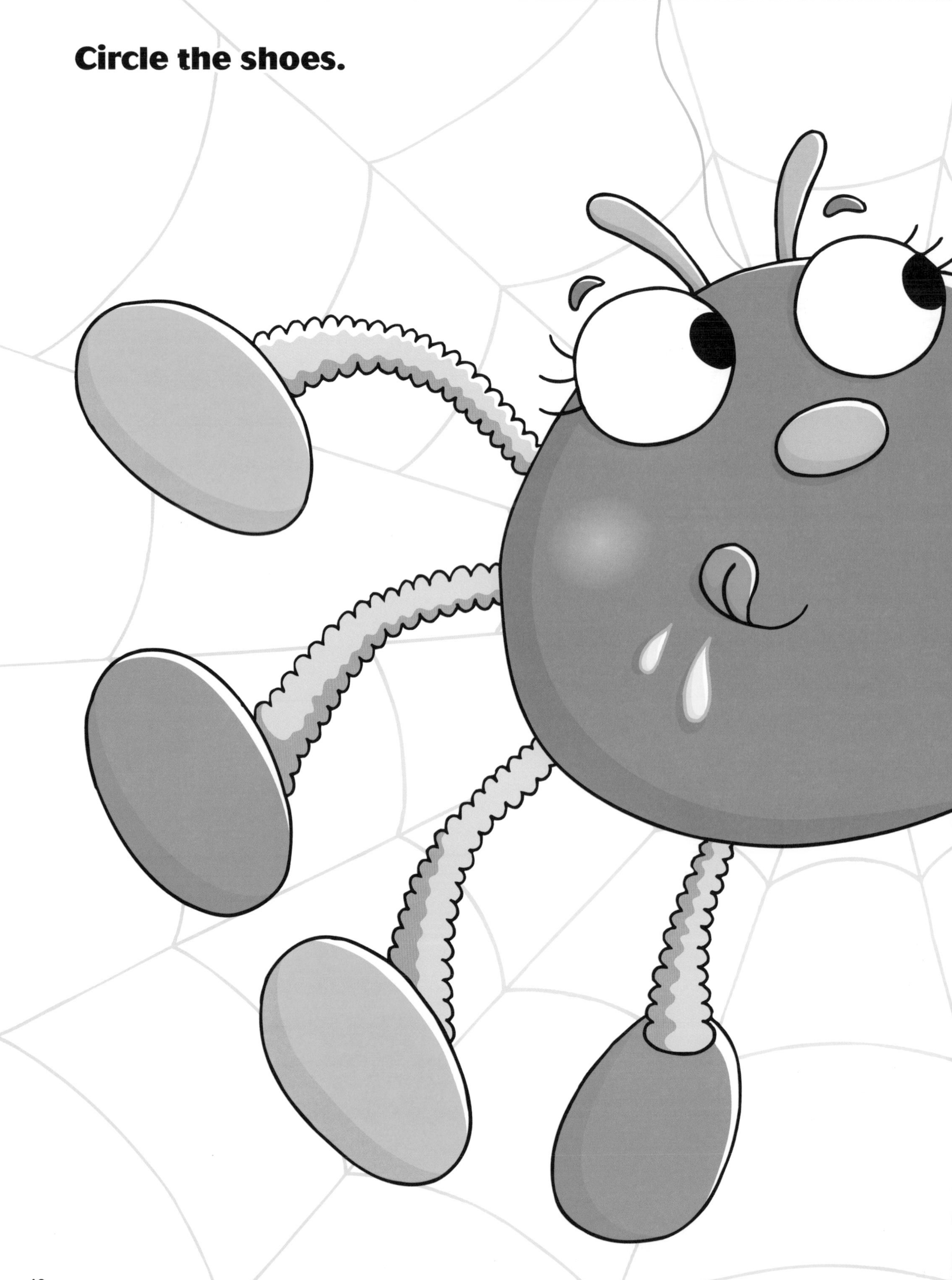

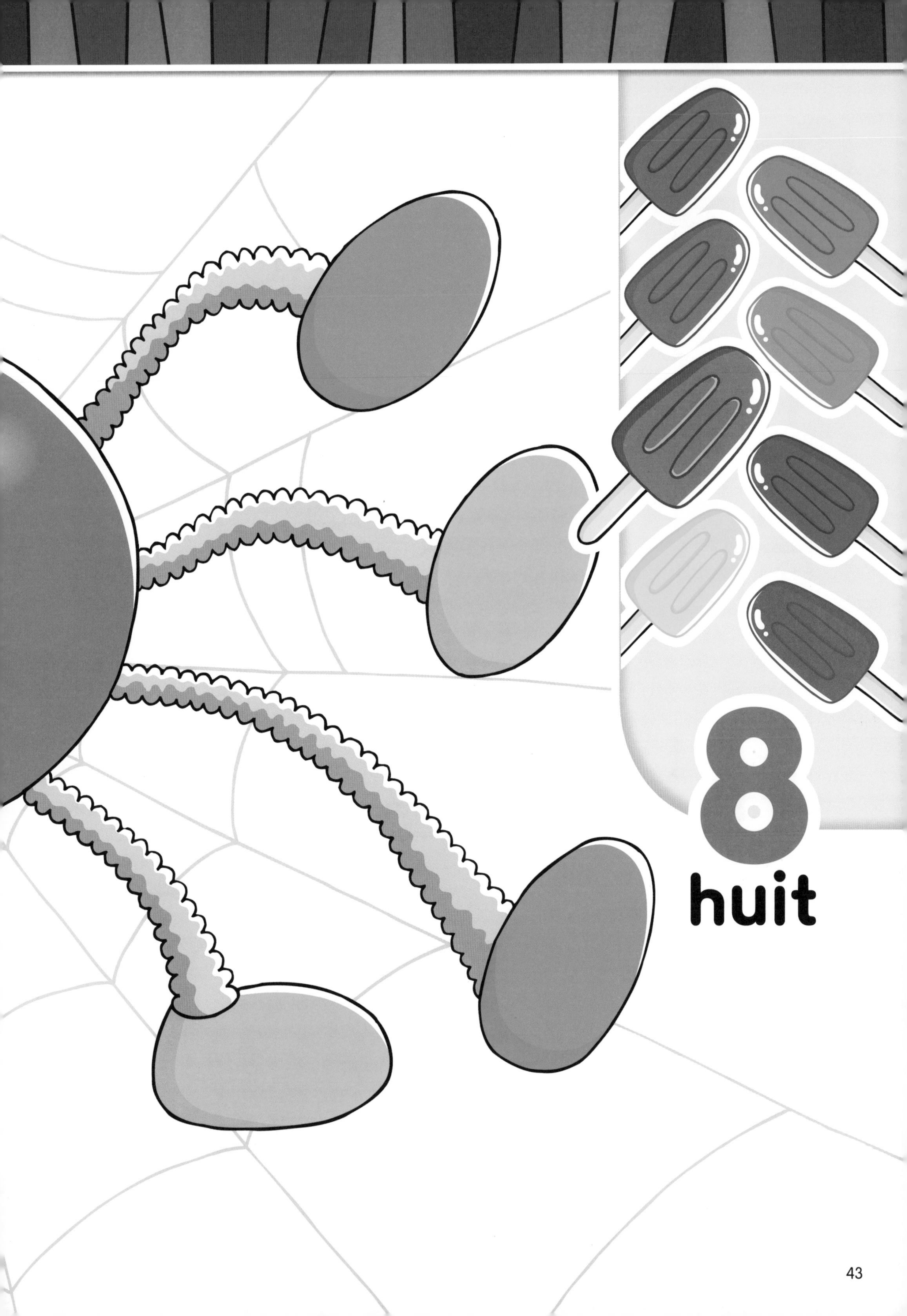
8
huit

Colour the 9 animals and circle the 10 trees.

Claire et Alix

Je suis Claire.

une fille

Je suis une fille.

un chat

Je suis un chat.

les poupées

J'aime les poupées.

les souris

J'aime les souris.

le pain

Délicieux !

le poisson

Délicieux !

la soupe

Délicieux !

le lait

Délicieux !

jouer

J'aime jouer.

jouer

J'aime jouer aussi.

Maman

J'aime Maman aussi.

aimer

J'aime Claire.

Activities

Colour the girl's hair and the path that takes her to the matching bow.

une
fille

Connect the dots and colour.

un chat

les
poupées

Circle the dolls in the doll house.

les souris

Colour the paths to take the goodies to the mice.

Jeanne is shopping for bread and milk. Draw a line to show her the path.

le lait
le pain
4L

Find and circle the fish. Then paste the fish stickers in the picture.

Cut out the soup and paste it in the picture.

la soupe

Dans le magasin de jouets

Regarde ! Un bus jaune.

Regarde ! Un bus bleu.
bleu

Un camion bleu.

bleu

rouge

Une voiture rouge.

rouge

Une voiture rose.
rose

Un lapin rose.

Un lapin blanc.
blanc

blanc

noir

Un dinosaure **noir**.

noir

Un dinosaure vert.
vert

un clown

les ballons

Vert, blanc, rose.

Noir, jaune,
rouge, bleu.

Bonjour !

Bonjour !
Bonjour !

Merci.

Merci.
Merci!

Un ballon bleu.

bleu

Un ballon rose.
rose

Activities

Colour Clare's outfit.

Colour the cupcakes pink. Then paste the cherry stickers.

Colour.

n
n
n
n
n
n
noir
blanc

vert
Circle the green aliens.

Draw a line to show Austin the way to collect all his blue stuffed toys.

bleu

Cut and paste.

rouge

rose

blanc noir

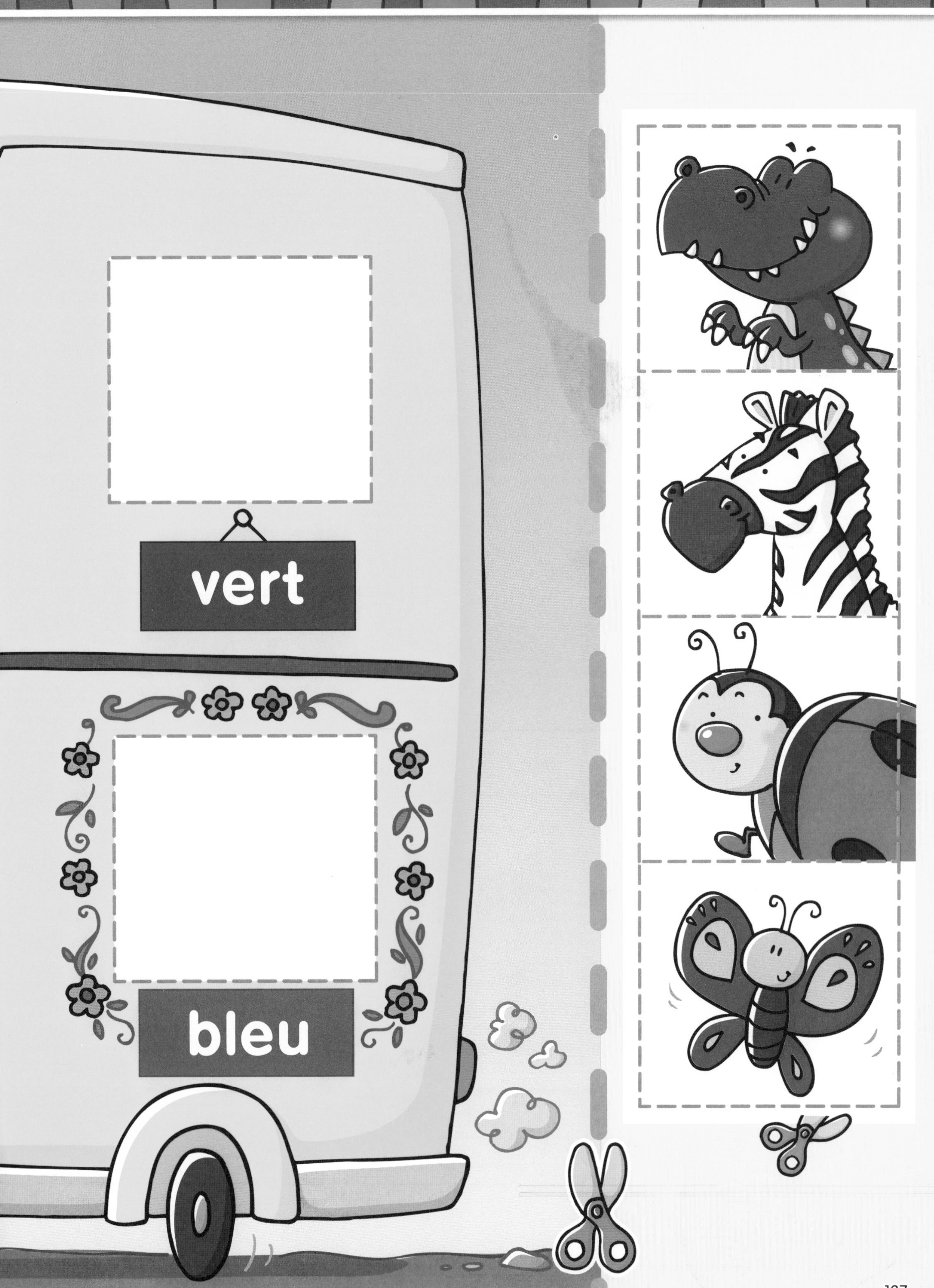
vert
bleu